¡VUELA ALTO, HOMBRE MOSCA!

Tedd Arnold

SCHOLASTIC INC.
New York   Toronto   London   Auckland
Sydney   Mexico City   New Delhi   Hong Kong

A Christene
—T.A.

Originally published in English as *Fly High, Fly Guy!*

ISBN 978-0-545-34276-6

12 11 10 9 8 7 6 5 4   12 13 14 15 16/0

Printed in the U.S.A.   40
First Spanish printing, September 2011

Un niño tenía una mosca de mascota.
La mosca se llamaba Hombre Mosca.
Hombre Mosca podía decir el apodo
del niño:

¡BUZZ!

Capítulo 1

Un día, Buzz dijo:

—Nos vamos de viaje.

Hombre Mosca quería ir.

—Es muy pequeño —dijo la mamá
de Buzz—. Se puede perder.

—Lo siento —dijo el papá de
Buzz—. Hombre Mosca se
quedará en casa.

El papá de Buzz cerró el baúl
del auto.

—Bueno, ya tenemos que partir.

La familia anduvo mucho tiempo.

Pararon para merendar.

La mamá de Buzz abrió el baúl y

Hombre Mosca salió volando.

—¿Cómo se metió ahí?

—dijo el papá de Buzz.

—No lo pierdas de vista
—dijo la mamá de Buzz—.
Ahora, vamos a comer.

MANTÉN
EL PLANETA
LIMPIO

Capítulo 2

Fueron hasta la playa.

Luego, llegó la hora de partir.

—¿Se perdió Hombre Mosca?
—preguntó el papá de Buzz.

—¡No! —dijo Buzz—.
¡Aquí está!

Fueron hasta el Museo
de Bellas Artes.

Luego, llegó la hora de partir.

—¿Se perdió Hombre Mosca?

—preguntó la mamá de Buzz.

—¡No! —dijo Buzz—.
¡Aquí está!

Fueron hasta el parque
de diversiones.

Luego, llegó la hora de partir.

—¿Se perdió Hombre Mosca?
—dijo el papá de Buzz.

—No —dijo Buzz—.
¡Aquí está!

Capítulo 3

—Es hora de volver a casa
—dijo la mamá de Buzz.
—¡Vamos, a la carretera!
—dijo el papá de Buzz.

Partieron

y anduvieron

y anduvieron

y anduvieron

y anduvieron

y anduvieron

y anduvieron

y anduvieron

y anduvieron

y anduvieron

y anduvieron

y anduvieron

y anduvieron

Pero no llegaron a casa.

—Estamos perdidos —dijo la mamá
de Buzz.

Buzz y Hombre Mosca tuvieron una idea.

—¡Vuela alto, Hombre Mosca! —dijo Buzz.

Hombre Mosca voló bien alto hasta el cielo. Usó sus superojos de mosca para encontrar la casa.

Hombre Mosca los guió de vuelta a casa.

—Gracias, Hombre Mosca —dijeron el papá y la mamá de Buzz—. ¡Nos salvaste! ¡Bravo, Hombre Mosca!